Mon corps

Fiona Undrill

Heinemann
LIBRARY

y body

www.heinemann.co.uk/library
Visit our website to find out more information about Heinemann Library books.

To order:
☎ Phone 44 (0) 1865 888066
Send a fax to 44 (0) 1865 314091
📄 Visit the Heinemann Bookshop at www.heinemann.co.uk/library to browse our
💻 catalogue and order online.

First published in Great Britain by Heinemann Library, Halley Court, Jordan Hill, Oxford OX2 8EJ, part of Harcourt Education. Heinemann is a registered trademark of Harcourt Education Ltd.

Editorial: Charlotte Guillain
Design: Joanna Hinton-Malivoire
Picture research: Ruth Blair
Production: Duncan Gilbert

Printed and bound in China by Leo Paper Group.

ISBN 9780431931296 (hardback)
11 10 09 08 07
10 9 8 7 6 5 4 3 2 1
ISBN 9780431931395 (paperback)
11 10 09 08 07
10 9 8 7 6 5 4 3 2 1

**British Library
Cataloguing in Publication Data**
Undrill, Fiona
Mon corps = My body. - (Modern foreign languages readers)
1. French language - Readers - Body, Human
2. Body, Human - Juvenile literature
3. Vocabulary - Juvenile literature
448.6'421
A full catalogue record for this book is available from the British Library.

Acknowledgements
The publishers would like to thank the following for permission to reproduce photographs:
© Alamy pp. **3**, **4** (PHOTOTAKE Inc), **12** (Medical-on-Line), **19** (Stephen Roberts), **23** (allOver photography); © Corbis p. **6** (C. Lyttle/zefa); © Istock p. **16** (Nicholas Belton); © Photos.com p. **11**; © Science Photo Library pp. **8**, **20** (Dr P. Marazzi), **15** (Biophoto Associates)

Cover photograph of jumping boys reproduced with permission of Corbis (Ben Welsh/zefa).

Every effort has been made to contact copyright holders of any material reproduced in this book. Any omissions will be rectified in subsequent printings if notice is given to the publishers.

Table des matières

Try to read the question and choose an answer on your own.

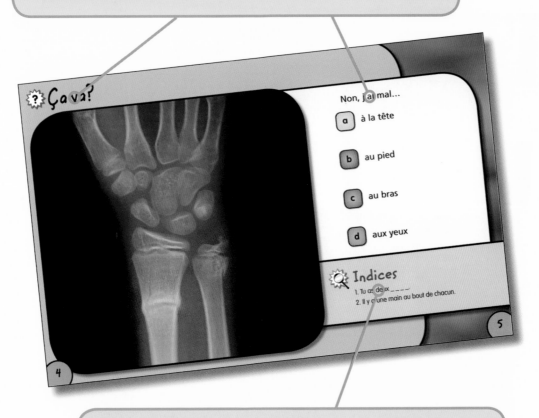

You might want some help with text like this.

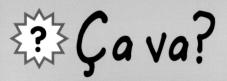

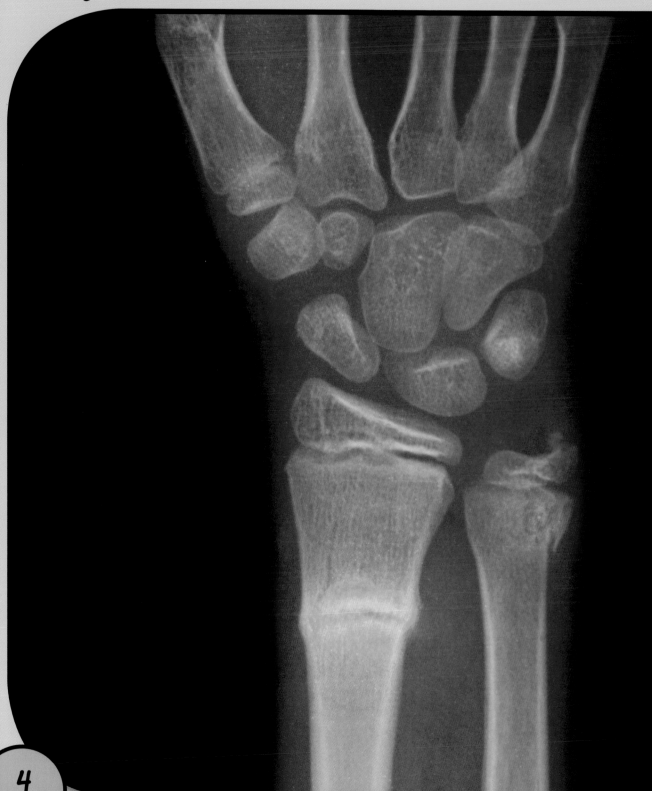

Non, j'ai mal…

a à la tête

b au pied

c au bras

d aux yeux

 Indices

1. Tu as deux _ _ _ _.
2. Il y a une main au bout de chacun.

Réponse

c au bras

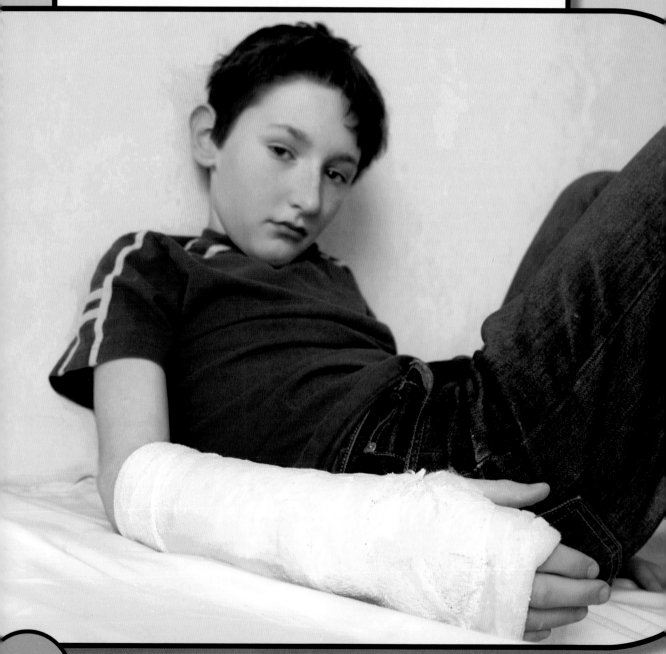

Il y a trois os dans un bras.

Les fractures

Les raisons les plus fréquentes pour une fracture au bras:

- un accident de voiture;

- une chute;

- une blessure en faisant du sport.

IMPORTANT

Ne bouge pas un os cassé!

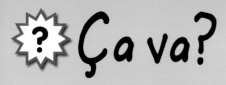

Ça va?

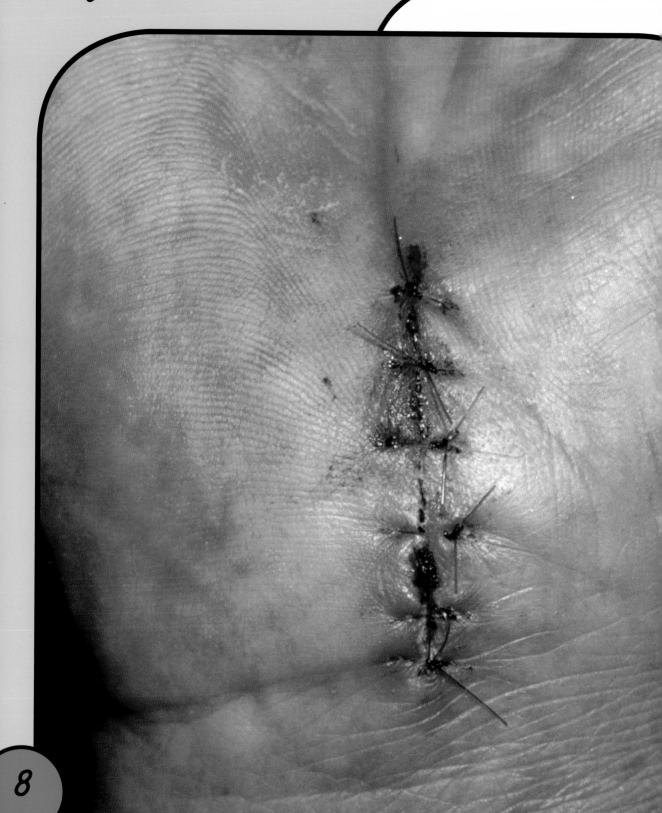

Non, j'ai mal...

a à la tête

b au pied

c à la main

d aux oreilles

 # Indices

1. Tu as deux _ _ _ _ _ s.
2. Tu les trouves au bout des bras.

Réponse

c à la main

Personnes gauchères

- 8–15% de la population est gauchère.
- Personnes gauchères connues:

  le Prince Charles

  Bart Simpson(!)

  Eminem

  Julia Roberts

  Kelly Osborne

  Angelina Jolie

  Keanu Reeves

Il y a 27 os dans une main.

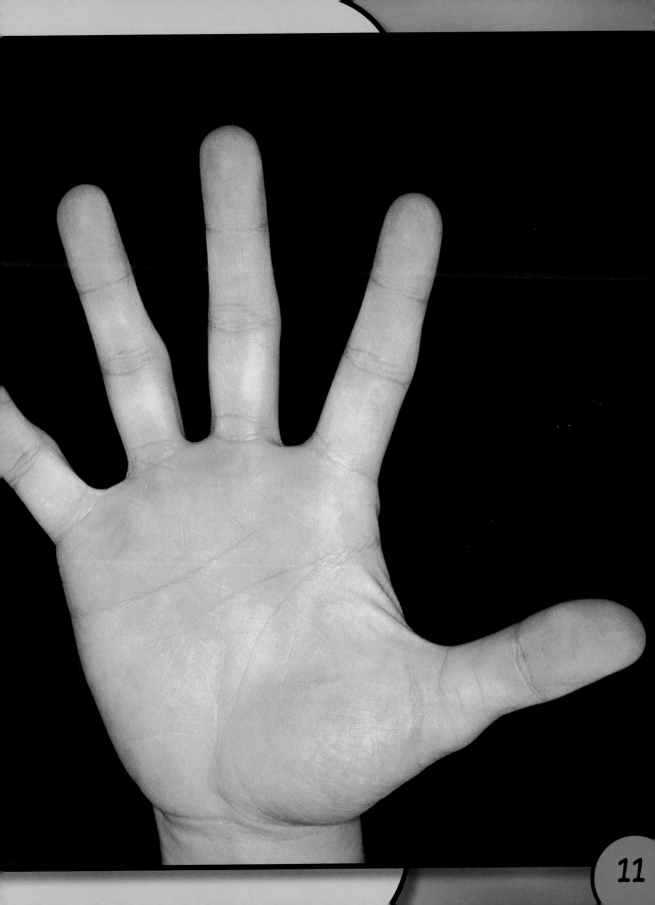

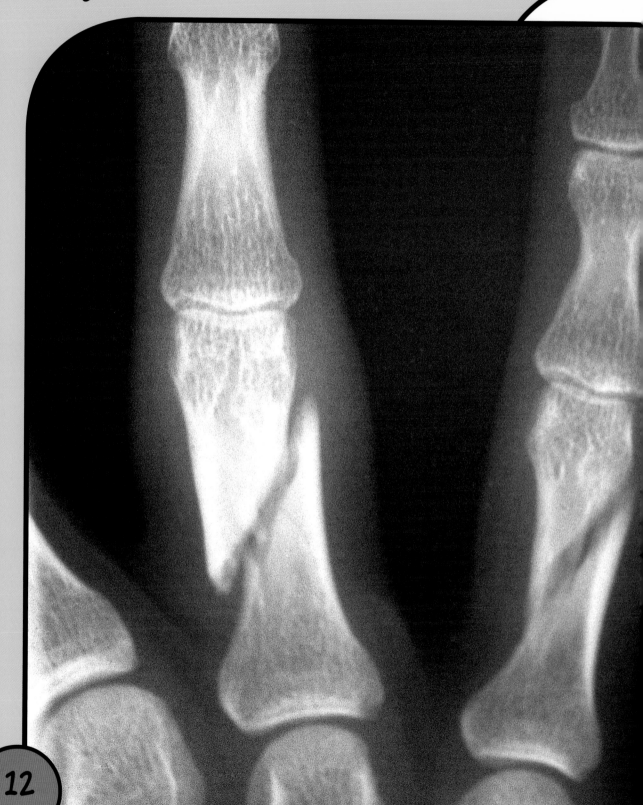

Non, j'ai mal...

a aux doigts

b à la bouche

c aux pieds

d à la jambe

 # Indices

1. Tu as huit _ _ _ _ _ _ _ (et deux pouces).
2. Ils sont attachés à la main.

✅ Réponse

a aux doigts

Il y a trois os dans un doigt
et deux dans un pouce.

En Grande-Bretagne = *Très bien*!

Mais en Grèce, ce n'est pas poli!

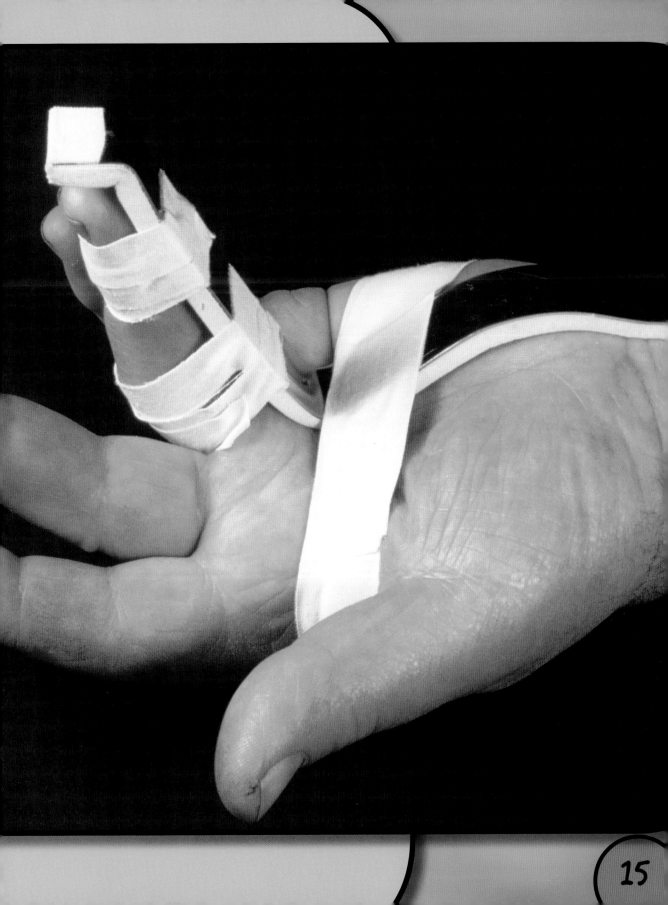

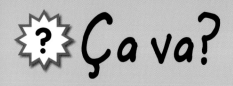
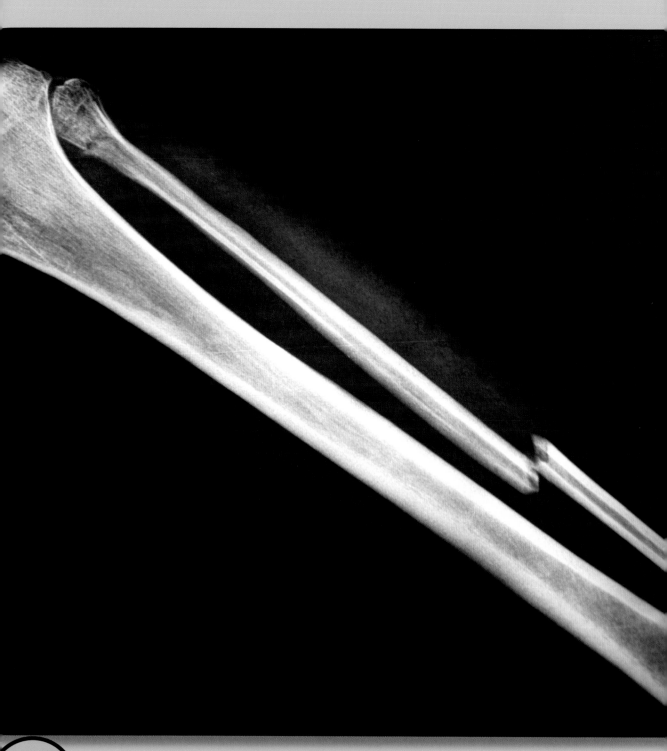

Non, j'ai mal...

a au doigt

b au nez

c à la main

d à la jambe

 Indices

1. Tu as deux _ _ _ _ _ s.
2. Il y a un pied au bout de chacune.

✔ Réponse

d à la jambe

Il y a trois os dans une jambe.

Incroyable – mais vrai!

Le Roi Toutankhamon est peut-être mort à cause d'une infection dans sa jambe cassée!

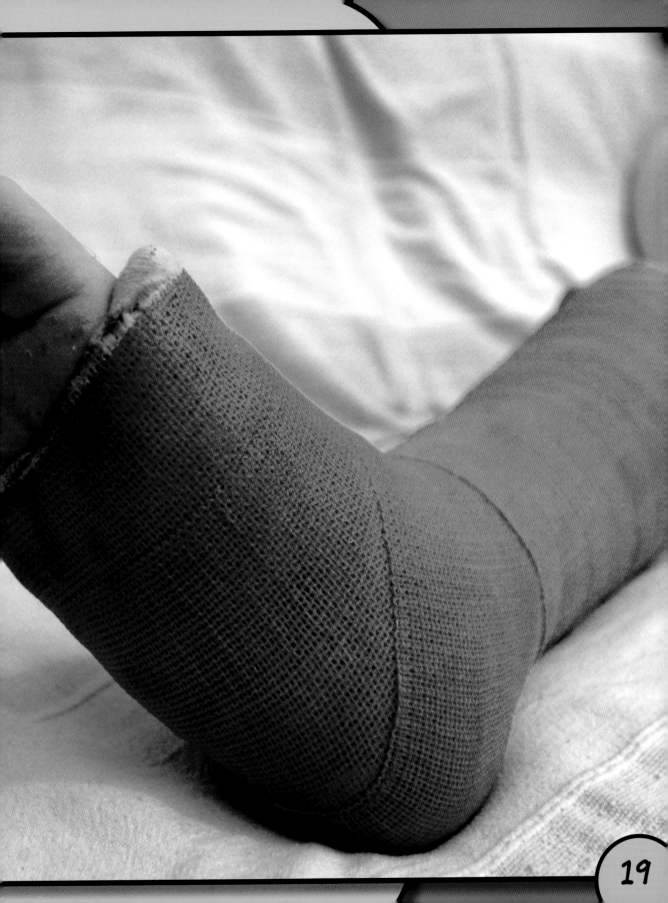

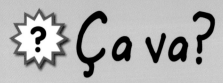
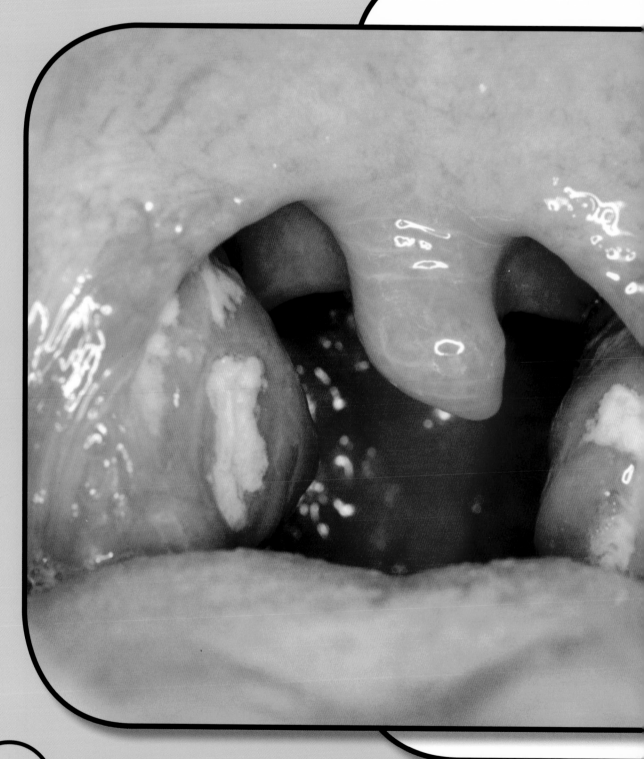

Non, j'ai mal...

a aux oreilles

b à la gorge

c aux yeux

d à la jambe

 Indices

1. Tu as une _ _ _ _ _.
2. Ouvre la bouche et dis «Ahhhh!»

☑ Réponse

b à la gorge

Mal à la gorge

Si on a mal à la gorge on a peut-être aussi…

• mal à la tête;

• de la fièvre;

• la gorge rouge;

• et – quelquefois – on ne peut pas parler.

Vocabulaire

Français Anglais   page

à cause de because of 18

un accident de voiture a car accident 7

au bout de at the end of 5, 9, 17

aussi also 22

une blessure en faisant du sport sports injury 7

la bouche mouth 13, 21

le bras arm 5, 6, 7, 9

Ça va? How are you? / Are you well? 4, 8, 12, 16, 20

cassé(e) broken 7, 18

un casse-tête puzzle 3

ce n'est pas poli it's not polite 14

chacun(e) each 5, 17

une chute fall 7

connu(e) known 10

corps body 1

dans in 7, 10, 14, 18

deux two 5, 9, 13, 17

dis say 21

un doigt finger 13, 14, 17

en Grande-Bretagne in Great Britain 14

en Grèce in Greece 14

est mort died 18

et and 21, 22

une fièvre fever 22

une fracture fracture 7

gauchère left-handed 10

la gorge throat 21, 22

huit eight 13

il y a there is/are 5, 7, 10, 14, 17, 18

ils sont attachés à they're attached to 13

important(e) important 7

incroyable incredible 18

un indice clue 5, 9, 13, 17, 21

une infection infection 18

une jambe leg 13, 17, 18, 21

la main hand 5, 9, 10, 13, 17

mais but 14, 18

mal à la gorge sore throat 22

mal à la tête headache 22

mon my 1

Ne bouge pas un os cassé! Do not move a broken bone! 7

le nez nose 17

Non, j'ai mal… No, I've got a pain… 5, 9, 13, 17, 21

on a one/you have 22

on ne peut pas parler you cannot talk 22

une oreille ear 9, 21

un os bone 7, 10, 14, 18

ouvre open 21

personnes gauchères connues famous left-handed people 10

peut-être maybe 18, 22

un pied foot 5, 9, 13, 17

la population population 10

un pouce thumb 13, 14

pour for 7

quatre four 14

quelquefois sometimes 22

les raisons les plus fréquentes the most common reasons 7

la réponse answer 6, 10, 14, 18, 22

le Roi Toutankhamon King Tutankhamun 18

rouge red 22

Si on a mal à la gorge… if you have a sore throat… 22

la table des matières contents 3

la tête head 5, 9, 22

très bien very good 14

trois three 7, 14, 18

tu as you have 5, 9, 13, 17, 21

tu les trouves you find them 9

le vocabulaire vocabulary 3, 24

vrai true 18

les yeux (un oeil) eyes (eye) 5, 21

24